弘扬“上海精神” 构建命运共同体

——在上海合作组织成员国元首理事会第十八次会议上的讲话

（2018年6月10日）

习　近　平

人　民　出　版　社

目　录

弘扬“上海精神” 构建命运共同体

——在上海合作组织成员国元首理事会第十八次会议上的讲话

（2018 年 6 月 10 日）

习　近　平

尊敬的各位同事：

六月的青岛，风景如画。在这美好的时节，欢迎大家来到这里，出席上海合作组织成员国元首理事会第十八次会议。早在 2500 多年前，中国古代伟大的思想家孔子就说：“有朋自远方来，不亦乐乎？”今天，孔子的故乡山东喜迎远道而来的各方贵宾，我们在这里共商上海合作组织发展大计，具有特殊意义。

再过 5 天，上海合作组织将迎来 17 岁生日。抚今追昔，本组织走过了不平凡的发展历程，取得了重大成就。

17年来，我们以《上海合作组织宪章》、《上海合作组织成员国长期睦邻友好合作条约》为遵循，构建起不结盟、不对抗、不针对第三方的建设性伙伴关系。这是国际关系理论和实践的重大创新，开创了区域合作新模式，为地区和平与发展作出了新贡献。

今天，上海合作组织是世界上幅员最广、人口最多的综合性区域合作组织，成员国的经济和人口总量分别约占全球的20%和40%。上海合作组织拥有4个观察员国、6个对话伙伴，并同联合国等国际和地区组织建立了广泛的合作关系，国际影响力不断提升，已经成为促进世界和平与发展、维护国际公平正义不可忽视的重要力量。

上海合作组织始终保持旺盛生命力、强劲合作动力，根本原因在于它创造性地提出并始终践行"上海精神"，主张互信、互利、平等、协商、尊重多样文明、谋求共同发展。这超越了文明冲突、冷战思维、零和博弈等陈旧观念，掀开了国际关系史崭新的一页，得到国际社会日益广泛的认同。

各位同事！

"孔子登东山而小鲁，登泰山而小天下"。面对世界大发展大变革大调整的新形势，为更好推进人类文明进步事业，我们必须登高望远，正确认识和把握世界大势和时代潮流。

尽管当今世界霸权主义和强权政治依然存在，但推动国际秩序朝着更加公正合理方向发展的呼声不容忽视，国际关系民主化已成为不可阻挡的时代潮流。

尽管各种传统和非传统安全威胁不断涌现，但捍卫和平的力量终将战胜破坏和平的势力，安全稳定是人心所向。

尽管单边主义、贸易保护主义、逆全球化思潮不断有新的表现，但“地球村”的世界决定了各国日益利益交融、命运与共，合作共赢是大势所趋。

尽管文明冲突、文明优越等论调不时沉渣泛起，但文明多样性是人类进步的不竭动力，不同文明交流互鉴是各国人民共同愿望。

各位同事！

当前，世界发展既充满希望，也面临挑战，我们的未来无比光明，但前方的道路不会平坦。我们要进一步弘扬“上海精神”，破解时代难题，化解风险挑战。

——我们要提倡创新、协调、绿色、开放、共享的发展观,实现各国经济社会协同进步,解决发展不平衡带来的问题,缩小发展差距,促进共同繁荣。

——我们要践行共同、综合、合作、可持续的安全观,摒弃冷战思维、集团对抗,反对以牺牲别国安全换取自身绝对安全的做法,实现普遍安全。

——我们要秉持开放、融通、互利、共赢的合作观,拒绝自私自利、短视封闭的狭隘政策,维护世界贸易组织规则,支持多边贸易体制,构建开放型世界经济。

——我们要树立平等、互鉴、对话、包容的文明观,以文明交流超越文明隔阂,以文明互鉴超越文明冲突,以文明共存超越文明优越。

——我们要坚持共商共建共享的全球治理观,不断改革完善全球治理体系,推动各国携手建设人类命运共同体。

各位同事!

"上海精神"是我们共同的财富,上海合作组织是我们共同的家园。我们要继续在"上海精神"指引下,同舟共济,精诚合作,齐心协力构建上海合作组织命运共同体,推动建设新型国际关系,携手迈向持久和平、普遍安全、共同繁荣、开放包容、清洁美丽的世界。为此,我愿提出以下建议。

第一,凝聚团结互信的强大力量。我们要全面落实青岛宣言、长期睦邻友好合作条约实施纲要等文件,尊重各自选择的发展道路,兼顾彼此核心利益和重大关切,通过换位思考增进相互理解,通过求同存异促进和睦团结,不断增强组织的凝聚力和向心力。

第二,筑牢和平安全的共同基础。我们要积极落实打击"三股势力"2019 至 2021 年合作纲要,继续举行"和平使命"等联合反恐演习,强化防务安全、执法安全、信息安全合作。要发挥"上海合作组织—阿富汗联络组"作用,促进阿富汗和平重建进程。未来 3 年,中方愿利用中国—上海合作组织国际司法交流合作培训基地等平台,为各方培训 2000 名执法人员,强化执法能力建设。

第三,打造共同发展繁荣的强劲引擎。我们要促进发展战略对接,本着共商共建共享原则,推进"一带一路"建设,加快地区贸易便利化进程,加紧落实国际道路运输便利化协定等合作文件。中国欢迎各方积极参与今年 11 月将在上海举办的首届中国国际进口博览会。中国政府支持在青岛建设中国—上海合作组织地方经贸合作示范区，还将设立“中国—上海合作组织法律服务委员会”，为经贸合作提供法律支持。

我宣布，中方将在上海合作组织银行联合体框架内设立300亿元人民币等值专项贷款。

第四，拉紧人文交流合作的共同纽带。我们要积极落实成员国环保合作构想等文件，继续办好青年交流营等品牌项目，扎实推进教育、科技、文化、旅游、卫生、减灾、媒体等各领域合作。未来3年，中方将为各成员国提供3000个人力资源开发培训名额，增强民众对上海合作组织大家庭的了解和认同。中方愿利用风云二号气象卫星为各方提供气象服务。

第五，共同拓展国际合作的伙伴网络。我们要强化同观察员国、对话伙伴等地区国家交流合作，密切同联合国等国际和地区组织的伙伴关系，同国际货币基金组织、世界银行等国际金融机构开展对话，为推动化解热点问题、完善全球治理作出贡献。

各位同事！

一年来，在各成员国大力支持和帮助下，中方完成了主席国工作，并举办了本次峰会。在这里，我向大家表示诚挚的谢意。中方愿同各成员国一道，本着积极务实、友好合作的精神，全面落实本次会议的共识，支持下一任主席国吉尔吉斯斯坦的工作，携手创造本组织更加光明的美好未来！

谢谢各位。

同上海合作组织成员国领导人共同会见记者时的讲话

（2018 年 6 月 10 日）

习　近　平

各位同事，

各位记者朋友，

女士们，先生们：

大家下午好！很高兴同大家见面。

上海合作组织成员国、观察员国领导人以及有关国际和地区组织负责人齐聚美丽的黄海之滨，共同描绘上海合作组织进入历史新阶段的发展蓝图，并就重大国际和地区问题深入交换意见，达成广泛共识。

这次峰会期间，我们充分肯定印度、巴基斯坦加入以来本组织取得的新发展，共同发表了《上海合作组织成员国元首理事会青岛宣言》、《上海合作组织成员国元首关于贸易便利化的联合声明》等文件，批准了《上海合作组织成员国长期睦邻友好合作条约》未来5年实施纲要。我们商定，恪守《上海合作组织宪章》宗旨和原则，弘扬互信、互利、平等、协商、尊重多样文明、谋求共同发展的“上海精神”，坚持睦邻友好，深化务实合作，共谋地区和平、稳定、发展大计。

我们一致认为，当今世界正处在大发展大变革大调整时期，世界多极化、经济全球化深入发展，国与国相互依存更加紧密。世界经济复苏艰难曲折，国际和地区热点问题频发，各国面临许多共同威胁和挑战，没有哪个国家能够独自应对或独善其身。各国只有加强团结协作，深化和平合作、平等相待、开放包容、共赢共享的伙伴关系，才能实现持久稳定和发展。

我们一致主张，安全是上海合作组织可持续发展的基石。各方将秉持共同、综合、合作、可持续的安全观，落实打击“三股势力”上海公约、反恐怖主义公约、反极端主义公约等合作文件，深化反恐情报交流和联合行动，加强相关法律基础和能力建设，有效打击“三股势力”、毒品贩运、跨国有组织犯罪、网络犯罪,发挥“上海合作组织—阿富汗联络组”作用,共同维护地区安全稳定。

我们一致指出,经济全球化和区域一体化是大势所趋。各方将维护世界贸易组织规则的权威性和有效性,巩固开放、包容、透明、非歧视、以规则为基础的多边贸易体制,反对任何形式的贸易保护主义。各方将继续秉持互利共赢原则,完善区域经济合作安排,加强“一带一路”建设合作和发展战略对接,深化经贸、投资、金融、互联互通、农业等领域合作,推进贸易和投资便利化,打造区域融合发展新格局,为地区各国人民谋福祉,为世界经济发展增动力。

我们一致强调,各国悠久历史和灿烂文化是人类的共同财富。各方愿在相互尊重文化多样性和社会价值观的基础上,继续在文化、教育、科技、环保、卫生、旅游、青年、媒体、体育等领域开展富有成效的多边和双边合作,促进文化互鉴、民心相通。

我们一致认为,上海合作组织扩大国际交往和合作十分重要。各方愿在平等互利基础上,深化同观察员国、对话伙伴等地区国家的合作,扩大同联合国及其他国际和地区组织的对话和交流,共同致力于促进世界持久和平和共同繁荣。

我们一致商定，本次峰会后，吉尔吉斯共和国将担任上海合作组织轮值主席国。各方将积极支持和配合吉方履行主席国职责，办好明年峰会。

女士们、先生们、朋友们！

借此机会，我要感谢各国领导人和国际组织负责人出席这次峰会，感谢各方各界对中方担任上海合作组织主席国和筹办峰会期间给予的大力支持和协助，感谢媒体朋友们对上海合作组织发展和青岛峰会的关注。

我坚信，在大家共同努力下，上海合作组织的明天一定会更加美好！

谢谢大家。

图书在版编目(CIP)数据

弘扬"上海精神" 构建命运共同体/习近平 著. —北京：
人民出版社,2018.6
ISBN 978-7-01-019480-6

Ⅰ.①弘… Ⅱ.①习… Ⅲ.①习近平-讲话②上海合作组织-
国际合作 Ⅳ.①D2-0②D814.1

中国版本图书馆 CIP 数据核字(2018)第 124646 号

(RMC-ZJDXI-063-20180610)

弘扬"上海精神" 构建命运共同体

HONGYANG SHANGHAI JINGSHEN GOUJIAN MINGYUN GONGTONGTI

——在上海合作组织成员国元首理事会第十八次会议上的讲话

(2018年6月10日)

习 近 平

人民出版社 出版发行
(100706 北京市东城区隆福寺街99号)

北京新华印刷有限公司印刷 新华书店经销

2018年6月第1版 2018年6月北京第1次印刷
开本:880毫米×1230毫米 1/32 印张:0.5
字数:6千字

ISBN 978-7-01-019480-6 定价:2.00元

邮购地址 100706 北京市东城区隆福寺街99号
人民东方图书销售中心 电话 (010)65250042 65289539